EL CASTELL DE
FARFUTALLES

Primera edició, 2003

Dipòsit Legal: B. 37.326-2003
ISBN: 84-316-7238-2
Núm. d'Ordre V.V.: Q-872

IMPRÈS A ESPANYA
PRINTED IN SPAIN

Editorial VICENS VIVES. Avda. de Sarrià, 130. E-08017 Barcelona.
Imprès per Gráficas INSTAR, S.A.

Malachy Doyle

EL CASTELL DE FARFUTALLES

Il·lustracions
Paul Hess

Traducció
Laura Santamaria

Activitats
Ramon Masnou

Vicens Vives

El dia en què vaig fer cinc anys la meva mare em va dur a la fira. Us ho imagineu? Vaig pujar tres cops al tren de la bruixa, vaig muntar un poni i em van comprar un gelat i un globus. Fa enveja, oi? Doncs, sabeu què? El millor de tot és que a la fira vaig trobar el meu avi.

El meu avi és l'homenet més divertit que us pogueu imaginar.

Aquell dia duia un barret de copa de color groc, una americana morada, uns pantalons de quadres amb més colors que l'arc de Sant Martí, uns mitjons de llunes vermelles, unes botes brillants i platejades i una barba molt i molt blanca que li arribava fins a la sivella daurada del cinturó.

—Hola, vailet —va dir—. T'agradaria venir a dormir a casa meva?

Vaig mirar la meva mare per saber quina cara hi posava i, veient que somreia, vaig contestar:

—És clar que sí, avi. M'agradaria molt.

I de seguida ens vam posar en camí. Vam pujar per un turó i vam baixar cap a una vall, vam passar per una carretera i després per un camí de terra, fins que a l'últim vam arribar a un sender cobert per les branques d'uns arbres. Ens hi vam endinsar i, en sortir-ne, vam veure que el camí girava a l'esquerra i s'enfilava cap a un turonet.

Al capdamunt del turó, s'hi alçava una caseta amb el sostre de palla.

—Com en diries, d'això, vailet? —em va demanar el meu avi.

—Què vols dir? —li vaig preguntar.

—És ben senzill: quina paraula faries servir per anomenar això que tens al davant?

—Ah! Em sembla que en diria casa o mas —vaig respondre.

—Doncs t'equivocaries —va dir el meu avi, esclafint a riure—. És el castell de Farfutalles.

I tot seguit va treure una clau molt grossa que duia a la butxaca, va obrir la porta, va entrar a la sala i va tirar uns tions a la llar de foc.

—I d'això, com en diries, vailet? —em va preguntar altra vegada.

—Doncs foc o flama, o bé com et sembli millor —vaig respondre.

—Ni pensar-ho! —va exclamar—. És rosegacaliu.

Llavors va entrar un gat i es va ajeure a dos pams del foc.

—I què me'n dius, d'aquesta bestioleta? —em va preguntar l'avi—. Com en diries?

—Home, això és una mixeta o un gat, o bé com et sembli millor —li vaig respondre mentre li acaronava el cap.

—No, no —va fer—. Es diu Totupispa.

—Bé, doncs, com que res del que hi ha aquí té un nom que jo conegui —li vaig dir—, com vols que et digui a tu, avi?

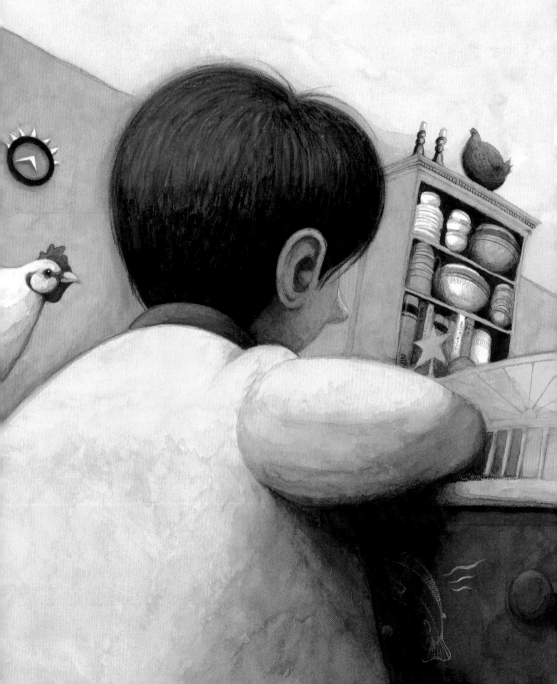

—Ah, jo em dic Barba-rauxa —em va respondre.

El meu avi es va aixecar i va agafar la tetera per preparar el te.

—Què és això que surt de l'aixeta, vailet? —em va preguntar.

—Això? I què vols que sigui: aigua, un líquid, o com et sembli millor —vaig respondre.

—I ara! —va exclamar—. És degotamoll, així és com es diu.

Cansat de tant caminar, el meu avi va posar-se còmode i es va treure les botes.

—I d'això, com en diries, vailet?

—Botes o sabates, o bé com et sembli millor —li vaig respondre rient.

—No t'hi has acostat gens. Són les meves petja-sorrals.

—I què me'n dius, d'això? —va afegir mentre treia la pols del barret de copa.

—Això és un barret o un capell, o bé com et sembli millor.

—Has tornat a fallar —em va dir—. És el meu enfunda-pesquis.

—I ara, mentre esperem l'hora de sopar, t'ensenyaré on dormiràs —i, tot enfilant-se cap al pis de dalt,
va afegir—: Per cert, d'això, com en diries?

—L'escala o els graons, o bé com et sembli millor.

—Mira que arribes a ser capsigrany —va fer rient—.
És l'avallamunt.

Quan va arribar al capda-
munt de les escales, va obrir
una porta i em va ensenyar
el llitet meravellós on jo ha-
via de dormir.

—I d'això, com en diries,
vailet? —em va preguntar.

—És el llit o el catre, o bé
com et sembli millor.

—No…, no és pas això —va
dir—. És el clucalull.

Com que entre una cosa i
l'altra ja s'havia fet tard, vam
seure a taula, vam sopar, vam
munyir la vaca, vam tancar
la porta amb clau i finalment
vam anar a dormir.

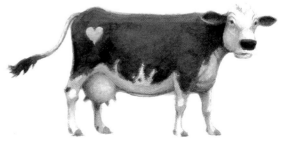

A mitjanit, vaig tenir set i, mig adormit, vaig veure una cosa esgarrifosa al capdavall de les escales. D'un salt, em vaig plantar al davant de la cambra de l'avi. Vaig trucar i trucar a la porta.

—Què passa, vailet? —em va preguntar des de l'altra banda.

—Barba-rauxa! —vaig cridar—. Sortiu del clucalull, poseu-vos les petja-sorrals i l'enfundapesquis i baixeu per l'avallamunt! La Totupispa té rosegacaliu a la cua, i si no ens afanyem amb el degotamoll, s'incendiarà el castell de Farfutalles!

En Barba-rauxa va sortir del clucalull, es fa ficar dins les petja-sorrals, va agafar l'enfundapesquis

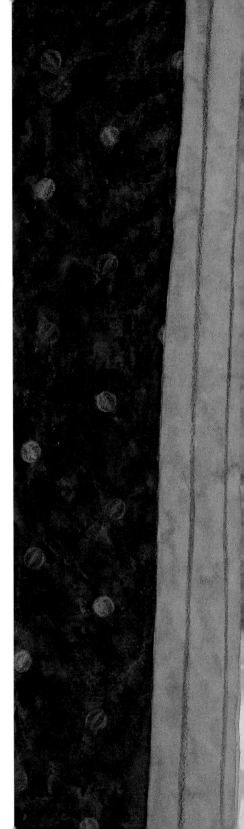

i va baixar per l'avallamunt
a corre-cuita.

En obrir la porta de la sa-
la va veure la pobra Totupis-
pa donant voltes per la cam-
bra com una esperitada, fent
uns marrameus que es de-
vien sentir a l'altra banda del
món.

En Barba-rauxa va agafar una gerra de degota-moll i la va abocar al damunt de la Totupispa.

I és així com es va apagar el rosegacaliu i es va salvar el castell de Farfutalles.

L'endemà al matí, la meva mare va trucar a la porta del castell.

—T'ho has passat bé amb l'avi al castell de Farfutalles? —em va preguntar somrient—. Segur que s'hi està molt tranquil, si es compara amb la ciutat.

—Doncs no és tan tranquil com et penses —li vaig respondre—. De fet, el castell de Farfutalles no és gens

tranquil. Però això tant se me'n dóna, perquè m'ho he passat d'allò més bé. M'hi deixaràs tornar una altra vegada a dormir, mare?

La meva mare va mirar en Barba-rauxa i en Barba-rauxa em va mirar a mi.

—I tant que sí, Miquel —van dir alhora—. I tant que hi podràs tornar.

I així, content de saber que aviat podria conèixer més a fons el meu avi i el seu castell, vaig donar la mà a la mare i li vaig explicar fil per randa tot el que m'havia passat.

activitats

El castell de Farfutalles

Comprensió

1 A veure si recordes bé el que passa al conte. Marca amb una creu la resposta correcta a cada pregunta.

a) Per què porten en Miquel a la fira?

☐ perquè hi viu el seu avi   ☐ perquè fa sol

☐ perquè és el seu aniversari   ☐ perquè és festa

b) A què el convida el seu avi?

☐ a dormir a casa seva   ☐ a prendre un gelat

☐ a pujar a la gran roda   ☐ a muntar un poni

c) On és la casa de l'avi?

☐ a la ciutat   ☐ al costat d'un llac

☐ al capdamunt d'un turó   ☐ davant del mar

d) Què és el primer que fa l'avi quan entra al castell de Farfutalles?

☐ ensenya la casa al seu nét   ☐ prepara el sopar

☐ tira uns tions al foc   ☐ es treu el barret

e) Per què el nen surt a mitjanit de l'habitació on dorm?

☐ perquè el seu avi el crida   ☐ perquè sent un soroll

☐ perquè té gana   ☐ perquè té set

f) Quan surt de l'habitació, què veu?

☐ la Totupispa amb la cua encesa

☐ una gallina asseguda al sofà

☐ la sala plena d'aigua

☐ la Totupispa perseguint un ratolí

g) Què fa llavors l'avi?

☐ continua dormint　　☐ dóna aigua al gat per beure

☐ comença a resar　　☐ tira aigua al damunt del gat

2 Com que ara ja coneixes la història del castell de Farfuta-lles, et serà fàcil **numerar les il·lustracions** següents de l'1 al 6, segons l'ordre en què apareixen al conte.

a (5)

b

c

d

e

f

Comentari i creació

1 L'avi d'en Miquel **inventa uns noms** molt divertits per a les coses. Les paraules que s'inventa tenen alguna cosa a veure amb la cosa a què fan referència. Així, del llit en diu *clucalull* perquè la gent que hi dorm acluca els ulls. Relaciona amb una fletxa els noms de les dues columnes i després explica per què l'avi d'en Miquel li ha donat aquests noms a les coses:

barret	castell de Farfutalles
foc o flama	Totupispa
gat	Barba-rauxa
aigua	rosegacaliu
botes	enfundapesquis
escala	avallamunt
avi	degotamoll
casa de l'avi	petja-sorrals

2 L'**avi d'en Miquel** és una persona molt especial i amb **molta imaginació**.

a) Com vesteix en Barba-rauxa?

b) Quines són les dues grans aficions que té? (Mira la il·lustració en què l'avi salta del llit).

c) A banda del gat, l'avi té una bona colla d'animals que es passegen per la casa. Quins animals són? Et sembla normal tenir aquesta mena d'animal dins la casa?

d) A què creus que es devia dedicar l'avi d'en Miquel quan treballava?

e) Una persona tan estranya com en Barba-rauxa segur que menja plats ben especials i que no només beu aigua. Què diries que deu menjar i beure habitualment?

3 T'hauràs adonat que, **per inventar paraules**, l'avi n'ajunta algunes que ja existeixen. Ho comprovem amb *rosegacaliu*, o amb una

paraula corrent com *penja-robes*, un estri que serveix per penjar la roba. En grups de dos o tres alumnes, i fent servir aquest mateix sistema, **inventeu-vos paraules** per als següents objectes i animals que hi ha a casa d'en Barba-rauxa.

a)

b)

c)

· · · · · · · · · · · ·   · · · · · · · · · · · ·   · · · · · · · · · · · ·

d)

e)

f)

· · · · · · · · · · · ·   · · · · · · · · · · · ·   · · · · · · · · · · · ·

4 És evident que només coneixem algunes de les paraules que inventa l'avi. Si segueixes les instruccions que et donem tot seguit, aprendràs el nom que en Barba-rauxa dóna a la **televisió (a)**, la **dutxa (b)** i el **sofà (c)**:

a) Llegeix de dreta a esquerra:

suababatnacne

b) Mira la paraula següent en un mirall:

ɣnullnədɐɣnoɿ

c) Suprimeix totes les vocals o:

eonogaonxoaoocouloso

5 **Escriu una frase** usant les paraules inventades per en Barba-rauxa, les paraules dels exercicis 3 i 4, i d'altres que pu-

guis inventar-te. Després llegeix la frase a la classe perquè els teus companys la interpretin.

6 A l'imaginatiu avi d'en Miquel, li agrada molt jugar amb les paraules. Proveu vosaltres de fer **un altre joc amb el llenguatge**: en grups de cinc, cada un de vosaltres haurà de parlar substituint sempre totes les vocals de les paraules que usa per la mateixa vocal. Un diu, per exemple, «Jagam a palata?» ('Juguem a pilota?'); i un altre pot contestar: «Je ne en tenc guenes»; llavors un tercer suggereix: «I pir qui ni jiguim i fit i imiguir?»; i un quart hi està d'acord: «D'ocord, ons ho possorom bombo!». I així pot anar continuant la conversa...

39